이제 일반인들도 쉽게 쓰는 자서전

자서전 쓰기 강사 민경호가 안내하는 저서전의 세계!!
심리 치유와 기억력 개선 두마리 토끼를 잡는다
내가 직접 쓰는 자서전, 내 책에 내 인생을 담는다!

내 자서전쓰기 실전BOOK

중년기 · 노년기편

민 경 호 지음

세계로미디어

ISBN 978-89-90530-33-2(세트)   ISBN 978-89-90530-37-0(04810)

중년기편 / 노년기편

| 연상법 질문지를 이용한 중년기 / 노년기 실전편 |

여러분의 현재 연령대가 중년기 또는 노년기라면 이 질문들에 대해 답을 쓰는 것이 어렵지는 않을 것입니다. 오래된 과거(유년기)의 일이라면 기억해 내기가 쉽지 않겠으나, 가까운 과거라면 쉽게 기억해낼 수 있습니다.

자서전 쓰기의 순 기능 중에서 치매를 예방하고 기억력을 증진시키는 작용이 있다고 했는데, 그것은 뇌를 자극하는 기억 훈련을 지속적으로 하게 되기 때문입니다. 여러 가지 방법(사진 활용, 연상법 질문지 활용, 장소 찾아가기 등등)을 동원하여 과거의 기억들을 일깨워주어 젊었을 당시로 여행하는 시간을 가지게 함으로써 더 생동감 넘치는 활력을 제공받게 되는 것입니다. 자서전 쓰기는 단순히 쓰는 차원을 넘어서 젊음으로의 회귀를 시도하는 즐거운 작업입니다. 자서전은 자신이 이 땅에 살았던 흔적을 남기는 일이므로, 노년이 되면 지내온 과거를 즐겁게 회상하시는 것이 좋습니다. 치열하게 살았던 지난날들이 주마등처럼 스쳐갈 때 하나도 놓치지 말고 메모지에 적으십시오. 그 메모지는 글을 쓰기 위한 단순한 모티브에 지나지 않지만 그것을 모음으로써 풍부한 이야깃거리를 확보하실 수 있습니다. 이미 늙어서 아무 것도 할 수 없다고 체념하지 마시고, 당신의 후손들에게 교훈이 될 수 있는 당신의 산 역사를 생생하게 증언해 주십시오. 인간이 짐승들과 다른 점은 기록할 수 있다는 점입니다. 당신의 이름이 새겨진 책을 만들 날을 고대하며 자서전을 써 보시기 바랍니다.

여러분의 중년기와 노년기에는 어떤 일들이 있었는지 생각하며 사건들의 목록을 작성해 봅니다. 이 목록에만 집착하지 마시고 다음에 나오는 연상법 질문들을 보시면서 목록도 하나 하나 채워나가시기 바랍니다. 가급적이면 사건명을 쓰고 그에 대한 간략한 설명을 옆에 달아보는 것이 좋을 것입니다.

1

2

3

4

5

6

7

8

9

10

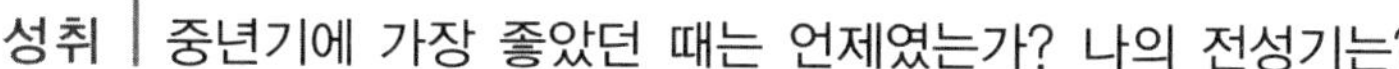

| 성취 | 그때 가지 않은 길은 무엇이고 지금은 그에 대해 어떻게 생각하는가?

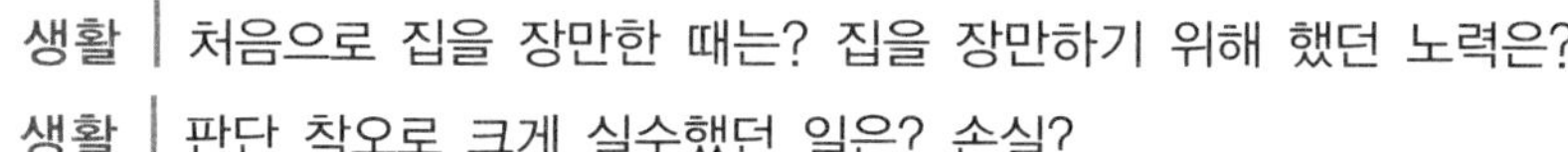

| 생활 | 처음으로 집을 장만한 때는? 집을 장만하기 위해 했던 노력은?
| 생활 | 판단 착오로 크게 실수했던 일은? 손실?

| 생활 | 취미생활로 즐긴 것은?
| 영향 | 중년에 자신의 인생에서 가장 의미 깊었던 사람은 누구인가?

| 의지 | 노후 대비 계획은 어떻게 세웠으며 어떤 실천을 했는가?

| 의지 | 에너지를 가장 많이 쏟았던 일은?

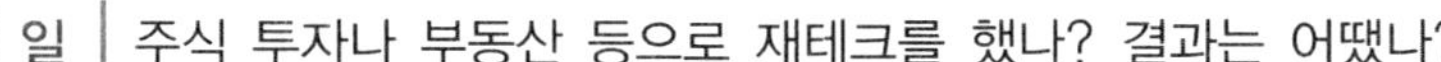 **| 일 |** 주식 투자나 부동산 등으로 재테크를 했나? 결과는 어땠나?

| 일 | 직장에서 해고당할 위기가 있었나? 어떻게 극복했나?

| 정신건강 | 압박과 스트레스를 느낄 때는 무엇을 했나?

| 정신건강 | 이 세상은 살만한 곳이라고 생각하는가?
| 정신건강 | 정신적으로 너무 힘들어서 눈물을 흘리며 밥을 먹었던 적은?

| 정신건강 | 중년기에 자신이 긍정적이고 적극적이었다고 생각하는가?
| 회상 | 정말 하고 싶었는데 하지 못했던 일은? (아이와 놀아주는 일 등등)

| 건강 | 중년기에 꾸준히 했던 운동은?

| 건강 | 중년기에 큰 병에 걸린 적이 있는가? 병을 어떻게 극복했나?

| 건강 | 중년이 되어 체력이 떨어졌다고 생각한 때는?

(시력이나 근력, 지구력 등등)

 | 관계 | 나를 배신한 사람이 있나? 그 결과는?
그에 대해 나는 어떻게 행동했나?

 | 생활 | 중년기때 공휴일에는 무엇을 하며 지냈나? 여가? 종교활동?
　　　　　휴식?
| 생활 | 중년기때, 기억에 오래 남는 휴가나 여행은? 가족 여행은?

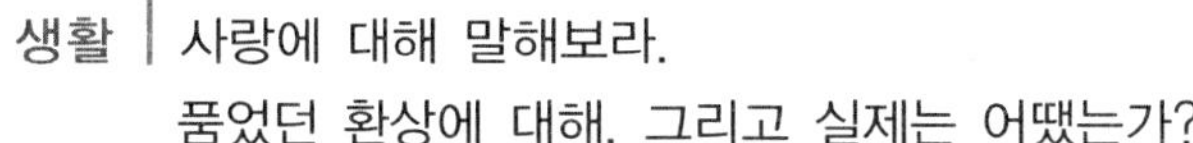 | 생활 | 사랑에 대해 말해보라.
품었던 환상에 대해, 그리고 실제는 어땠는가?

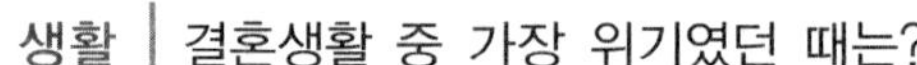

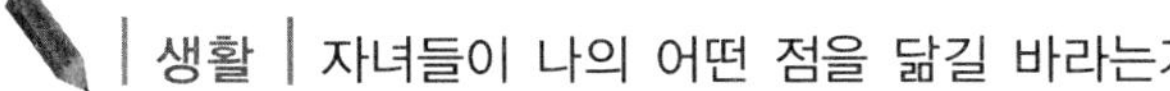

| 생활 | 자녀들이 나의 어떤 점을 닮길 바라는가?

| 가족 | 현재(노년기), 가족 중 가장 많은 시간을 함께 보내며, 의지가 되는 사람은?

| 가족 | 자녀들에 대해서 가진 생각을 말해보라. 자녀와의 관계…….

| 가족 | 내가 죽은 후 나의 재산은 어떻게 할 계획인가?
| 가족 | 내가 죽은 후 자녀가 어떤 삶을 살길 바라는가?

 | 가치 | 나이가 들수록 더욱 강해지거나 여전히 지니고 있는 자신의 가치는 무엇인가?

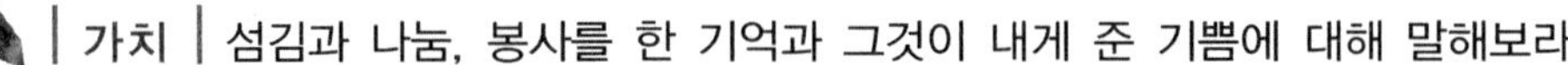

|가치| 섬김과 나눔, 봉사를 한 기억과 그것이 내게 준 기쁨에 대해 말해보라.

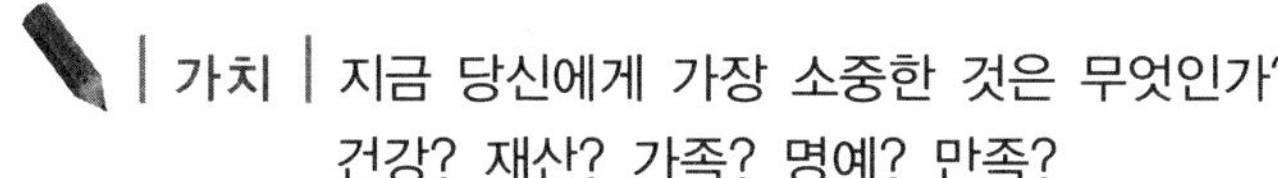

지금 당신에게 가장 소중한 것은 무엇인가?
건강? 재산? 가족? 명예? 만족?

| 건강 | 젊었을 때에 비해 체중이 늘었는가 줄었는가? 이유는 무엇인가?

| 건강 | 지금 건강은 어떤가? 건강을 지키기 위해 어떤 노력을 기울이는가?

| 계획 | 남은 날들 동안 무슨 일에 가장 많은 시간을 쏟고 싶은가?

| 계획 | 새로 더 배워야 할 것은 무엇인가?

| 계획 | 젊은 세대와 함께 해보고 싶은 일은?

| 남기고 싶은 말 | 자녀나 후손들에게 교훈으로 남기고 싶은 말은?

 | 사상 | 국가관과 사회관, 이 나라가 가야 할 방향에 대해 말해보라.

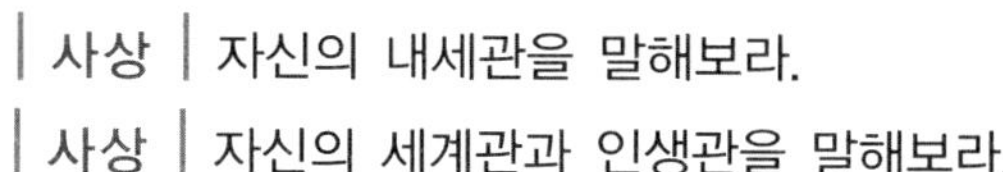

| 사상 | 자신의 내세관을 말해보라.
| 사상 | 자신의 세계관과 인생관을 말해보라.

| 여가 | 평일이나 주말에는 어떻게 시간을 보내는가?

| 여가 | 가장 좋아하는 취미는? 가장 즐기면서 하는 일은?

| 영적인 삶 | 자면서 자주 꾸게 되는 꿈은?
| 영적인 삶 | 죽은 후의 삶에 대해 진지하게 생각하고 설계했는가?

| 은퇴 전후 | 직장 퇴직 전후의 상황을 말해보라. (퇴직 배경, 경과, 결과 등)

| 은퇴 | 은퇴 후 가장 달라진 것은? (활동 범위, 건강 등등)

| 정신건강 | 고독(외로움)을 느끼는가? 어떻게 극복하는가?
| 정신건강 | 두려움을 느끼는가? 무엇이 두렵게 하며 어떻게 극복하는가?

| 친구 | 친구들에 대해 말해보라.(처음 만난 때, 그는 내게 어떤 친구인가?)
| 친구 | 현재 연락이 되는 친구들은? 누구와 대화할 때 마음이 편한가?

| 회고 | 인생에서 가장 기뻤던 일을 세 가지만 써보라.

| 회고 | 자신이 성공했다고 생각하는가? 어떤 의미에서 성공했는가?

 | 회고 | 젊은 시절로 돌아간다면 가장 해보고 싶은 일은?

| 회고 | 해결하지 못한 과제는 무엇이 있는가?
| 회고 | 내가 정치인이 되었다면 무슨 일을 했을 것 같은가?

| 후회 | 용서나 화해를 하고 싶었지만 하지 못한 것이 있는가?

| 노후 대비 | 노년을 위해 젊었을 때 준비한 것은?

| 기타 | 나이가 들어서 좋은 점과 나쁜 점은? 이익과 불이익?

| 기타 | 죽기 전, 남기고 가고 싶은 것은? (돈? 명예? 사상? 교훈? 자서전?)

중년기·노년기 미니 자서전 (p58~63)

여기에서는 질문에 답했던 내용(글감)을 가지고 3장(6페이지)에 걸쳐 실제로 미니 자서전을 써 봅니다. 여기에 쓰는 글은 습작에 해당한다고 볼 수도 있겠구요, 실제로 한 권의 책을 써내기 위한 워밍업 정도라고 생각하시면 됩니다. 마음의 부담감을 털어버리고 수필을 쓰듯이 펜이 가는대로 술술 이야기를 풀어나가시기 바랍니다.

중년기·노년기 미니 자서전 (p58~63)

자서전에 대한 상담과 교육을 해드립니다

이 책을 활용하시면서 궁금하신 점이 있으시면 연락 주세요. 자서전 쓰기 교육 및 상담, 자서전 집필 및 자서전 제작에 대한 안내를 해드립니다. 고객님께서 이 책에 작성하신 것을 저희 사무실에 보내주시면 필요한 상담을 해드립니다. 보내실 때, 원본은 본인이 보관하시고 복사본을 저희에게 보내주십시오. 또한, 필요하신 분에게는 대필에 대한 상담도 해드립니다.

이 책은 실제로 자서전 쓰기 강의를 들으시는 분들께서 사용하시는 교재입니다. 강의는 저자인 제가 직접 합니다. 자서전 쓰기 강의를 수강하고 싶으신 분은 전화로 연락 주십시오. 이 책을 단체 구매시 출장 강의해드립니다. TEL (02)763-2159

민경호의 행복한 내 자서전 쓰기 블로그 http://blog.naver.com/mmbn